leo lionni leo lionni leo lionni

leo lionni leo lionni leo lionni

leo lionni leo lionni leo lionni

leo lionni leo lionni leo lionni

leo lionni leo lionni leo

leo lionni leo lionni leo lionni

leo lionni leo lionni leo lionni

leo lionni leo lionni

leo lionni leo lionni leo lionni

leo lionni leo lionni leo lionni leo lionni

leo lionni leo lionni

新经典文化股份有限公司
www.readinglife.com
出　品

自己的颜色

伤心的变色龙遇到一个难题——他没有他自己的颜色，这和别的动物都不一样。

他走到哪儿，他的颜色都会随之变化。他会跟着秋天的叶子一起变红，而在漫长昏暗的冬天里变黑。可是到了春天，在绿草丛中，他找到了令人开心的解决办法。

献给薇拉 · 芭芭拉

自己的颜色

〔美〕李欧·李奥尼 文·图
阿甲 译

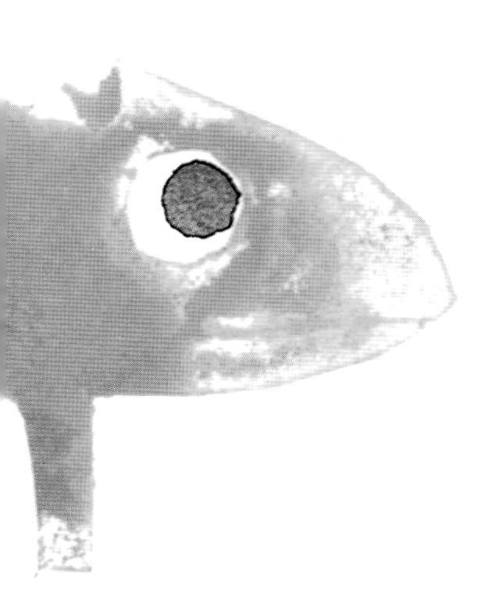

南海出版公司

鹦鹉是绿色的，

金鱼是红色的，

大象是灰色的，

猪是粉红色的。

所有的动物都有它们自己的颜色，

只有变色龙例外。

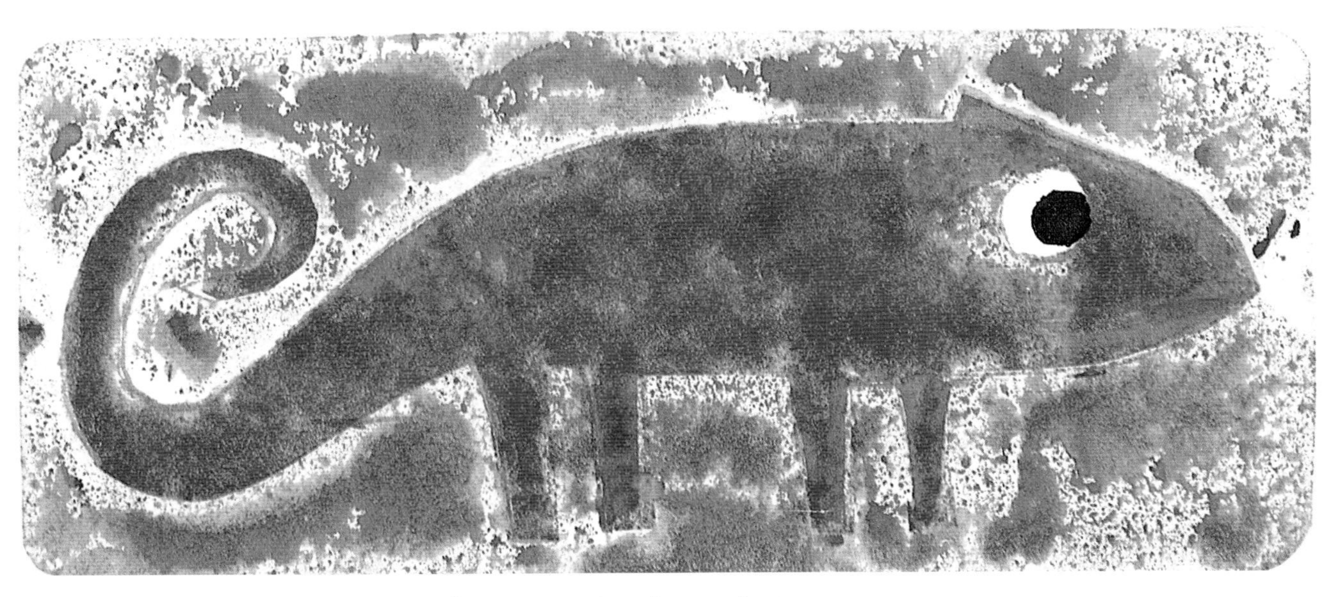

它们走到哪儿，颜色就会随之变化。

站在柠檬上面，它们是黄色的。

藏在石楠花丛中，它们是紫色的。

坐在老虎身上，它们就有了
和老虎一样的条纹。

有一天，一只站在老虎
尾巴上的变色龙
对自己说：

“如果我一直待在叶子上，
我就会永远是绿色的，
那样我也会有
我自己的颜色了。”

想到这儿，他就高高兴兴地爬上最绿的一片叶子。

可是到了秋天，叶子变黄了——

那只变色龙也变黄了。

后来，叶子变红了，变色龙也变红了。

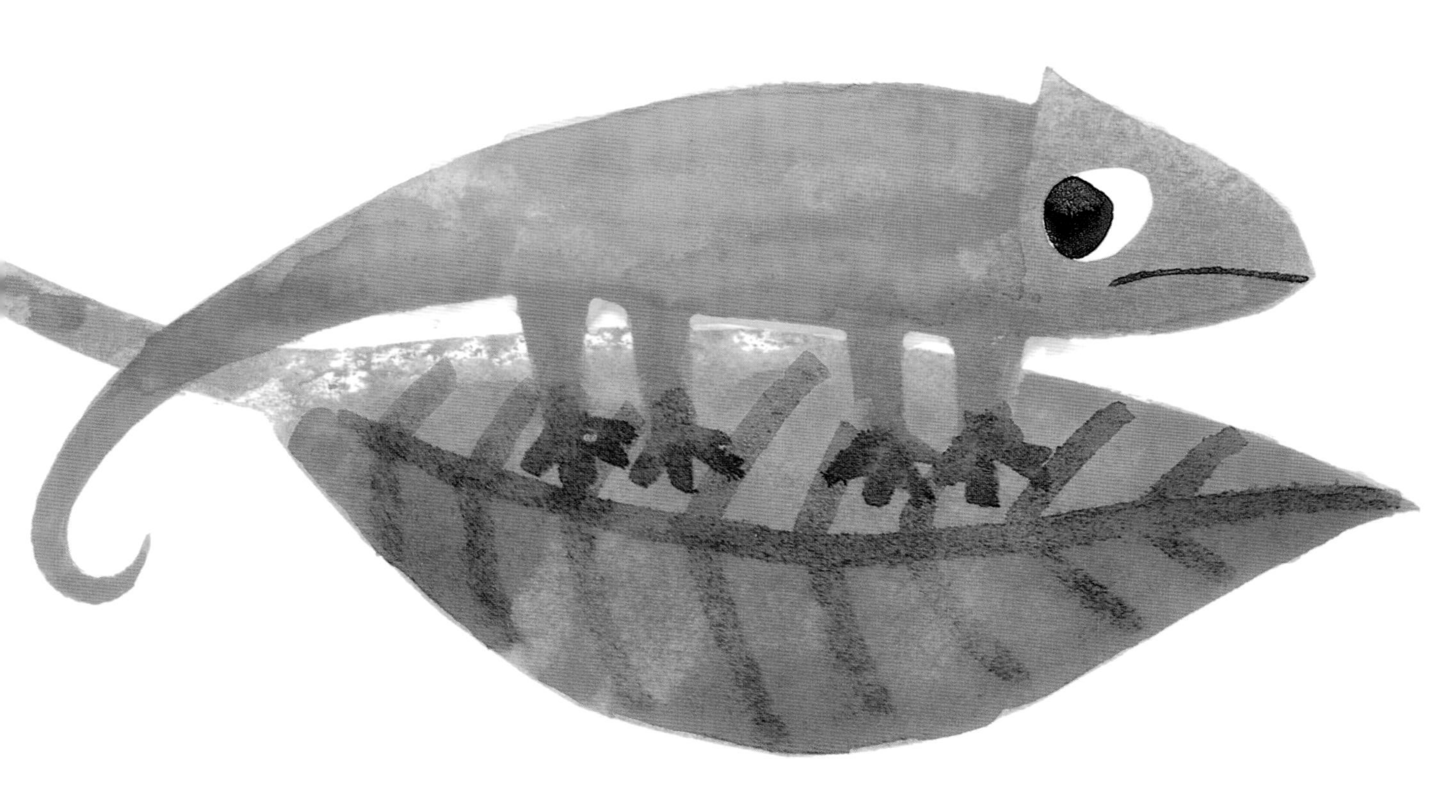

再后来，
冬天的寒风把叶子
吹落枝头，
变色龙也跟着落下了。

在漫长的冬夜里，变色龙变成了黑色的。

可是当春天来临时，
他走到外面，来到一片青草地。
在那儿，他遇到了另一只变色龙。

他讲了自己的伤心故事。
“难道我们就不会有我们
自己的颜色吗？”
他问道。

另一只变色龙年纪大一点，也更有智慧。
他说：“恐怕我们不会有自己的颜色的。”
“可是，”他接着说，
“为什么我们不待在一起呢？

我们走到哪儿，
颜色还是会随之变化，但是
你和我的颜色
总是一样的。”

他们就这样肩并肩地待在一起。

他们一起变成了绿色的，

紫色的，

黄色的，

还有红色带圆点的。从此，他们幸福地

生活在一起。

自己的颜色

〔美〕李欧·李奥尼　文·图
阿甲　译

出　　版　南海出版公司　(0898)66568511
　　　　　海口市海秀中路51号星华大厦五楼　　邮编 570206
发　　行　新经典发行有限公司
　　　　　电话(010)68423599　　邮箱 editor@readinglife.com
经　　销　新华书店

责任编辑　印姗姗
特邀编辑　白佳丽
内文制作　田晓波

印　　刷　北京国彩印刷有限公司
开　　本　787毫米×1092毫米　1/20
印　　张　2
字　　数　3千
版　　次　2011年5月第1版
印　　次　2016年4月第12次印刷
书　　号　ISBN 978-7-5442-5316-1
定　　价　25.00元

图书在版编目(CIP)数据

自己的颜色/〔美〕李奥尼编绘；阿甲译.—海口：南海出版公司，2011.5
ISBN 978-7-5442-5316-1

Ⅰ.①自…　Ⅱ.①李…②阿…　Ⅲ.①图画故事－美国－现代　Ⅳ.①I712.85

中国版本图书馆CIP数据核字（2011）第010185号

著作权合同登记号　图字：30-2007-168

如有印装质量问题，请发邮件至 zhiliang@readinglife.com

lionni leo lionni leo lionni leo lionni leo lionni

leo lionni leo lionni leo lionni

lionni leo lionni leo lionni leo lionni

leo lionni leo lionni leo lionni

lionni leo lionni leo lionni leo lionni

leo lionni leo lionni leo lionni

lionni leo lionni leo lionni

leo lionni leo lionni

leo lionni leo lionni leo lionni leo lionni

lionni leo lionni leo lionni leo lionni leo lionni

leo lionni leo lionni leo lionni